EL BARCO  DE VAPOR

El ratón, el sapo y el cerdo

Erwin Moser

Ilustraciones de Erwin Moser

Primera edición: febrero 1996
Séptima edición: mayo 2006

Dirección editorial: Elsa Aguiar
Traducción del alemán: Carmen Bas

Título original: Die Geschichten von der Maus, vom Frosch und vom Schwein

Impresores, 15 - Urbanización Prado del Espino
28660 Boadilla del Monte (Madrid)
www.grupo-sm.com

Centro de Atención al cliente
Tel.: 902 12 13 23
Fax: 902 24 12 22
e-mail. clientes.cesma@grupo-sm.com

ISBN: 84-348-8791-6
Depósito legal: M-21730-2006
Preimpresión: Grafilia, SL
Impreso en España/*Printed in Spain*
Orymu, SA - Ruiz de Alda, 1 - Pinto (Madrid)

¿Dónde duerme el ratón?

HABÍA una vez un ratoncillo que vivía en una madriguera bajo la tierra. Tenía una cama con un colchón de paja, y allí dormía. Era todo muy sencillo, pero muy cómodo.

Un día empezó a llover mucho. Llovía y llovía y no paraba de llover.

Al ratón no le importaba la lluvia. ¡Él tenía su madriguera seca, con su confortable colchón de paja! Pero después de tres días de lluvia empezó a entrar el agua en la madriguera. Al principio solo se humedecieron las paredes, pero luego se fue acumulando el agua en el suelo. El colchón se empapó, y el ratón tuvo que marcharse a toda prisa.

Corrió por la pradera bajo la lluvia. Entonces encontró un arbusto de grandes hojas y se refugió bajo ellas. ¡Allí estaría protegido de la lluvia de momento! «Tengo que buscar un nuevo sitio donde dormir», pensó, y sus dientes rechinaron de frío. Por fin dejó de llover. El ratón empezó a buscar una nueva casa.

El pequeño ratón descubrió enseguida un árbol con un nido muy grande. Trepó hasta él y se tumbó en su interior. ¡Maravilloso! ¡Era incluso más cómodo que el colchón de paja! Pero poco después llegó un cuervo volando. Era el dueño del nido.

—¡No puedes dormir aquí! –dijo el cuervo–. ¡Este nido es mío!

El ratoncillo bajó del árbol y se fue algo triste hacia el río. Estaba muy cansado, y mientras andaba se le iban cerrando los ojos. ¡Entonces encontró en la orilla del río un barquito de papel! Se sentó en él y se dejó llevar por la corriente. ¡Qué bien se estaba! Cruzó las manos sobre la tripa y se durmió.

Pero el barquito de papel se fue mojando poco a poco, y de pronto se hundió. ¡Qué despertar más desagradable para el ratón! Por suerte, sabía nadar. Con gran esfuerzo llegó hasta la orilla. Mojado, cansado y tiritando de frío, el ratón siguió su camino.

Cerca del bosque el pequeño ratón encontró una gran seta. Tenía un aspecto muy atractivo. Se subió al sombrerete de la seta y cerró los ojos. ¡Sí, qué cómodo era aquel sitio para dormir! Era blando como un sofá y había un gran silencio alrededor. Pero, por desgracia, no por mucho tiempo.

Dos escarabajos se acercaron a la seta. Llevaban unas afiladas hachas consigo.

—¡Baja de esta seta, ratón! –gritó uno de ellos–. ¡Vamos a cortarla! Queremos hacer guiso de seta para nuestras familias. ¡No puedes dormir encima de nuestra cena!

—¡Perdón! –dijo el ratón, y se bajó a toda prisa.

El pequeño ratón se adentró en el bosque. De pronto vio una hamaca de cuerda tendida bajo un árbol. No había nadie por allí cerca. El ratón se subió a la hamaca y se tumbó. ¡Ah, qué maravilla! ¡Aquella cama era aún mejor que la seta! Cuando el ratón empezaba

a cerrar los ojos, se oyó de pronto una voz muy enfadada entre las hojas.

—¿Estás loco? ¡Vas a destrozarme mi preciosa obra de arte! ¡Vete inmediatamente, atrevido ratón!

Y salió una araña grande y gorda. ¡La hamaca era realmente una telaraña!

El ratón se bajó enseguida y se alejó.

Estaba ya tan cansado que casi no podía ni andar. Le habría gustado tumbarse allí en medio, pero el suelo todavía estaba húmedo a causa de la lluvia. Entonces el ratoncillo vio una enorme campanilla. «Aquí podré descansar, por fin...»

¡Sí, era realmente un dormitorio precioso! Las paredes eran de color azul celeste, y olía muy bien. Pero cuando el ratón empezaba a conciliar el sueño, entró una abeja en la flor.

—¡Fuera de mi flor favorita! –gritó la abeja.

La abeja tenía un aguijón muy largo y el ratón prefirió no discutir con ella.

Así pues, el pequeño ratón salió rápidamente de la flor y regresó al bosque. Estaba muy triste. «De todas partes me echan», pensó a punto de llorar.

Mientras tanto, se había hecho de noche. El ratón seguía andando por el bosque y no encontraba ningún lugar donde dormir.

Al final, estaba ya todo tan oscuro que el pequeño ratón apenas podía ver nada. Entonces se chocó con algo blando, caliente y peludo.

«¡Aquí me quedo, sea lo que sea!», pensó. Se tumbó sobre la cama de pelo y se quedó dormido al momento. ¡Se había tumbado encima de un oso! Pero era un oso muy bueno y le dejó dormir sobre su tripa.

¡Buenas noches!

¿Quién da un beso al sapo?

HABÍA una vez un pequeño sapo que vivía en una charca. El sapo estaba contento y era feliz, pues tenía todo lo que podía necesitar: una cama en un viejo neumático y mucha agua limpia.

«Un sapo no necesita nada más», pensaba, hasta que un día...

... vio en un agujero de un árbol a dos ardillas que se daban un beso.

«¡Oh, qué bonito!», pensó el sapo, y se sintió de pronto muy solo.

—¡Yo también quiero que alguien me dé un beso! –dijo, y empezó a buscar enseguida a ese *alguien.*

Por el borde de la charca paseaba una cigüeña.

«¿Querrá darme un beso? –se preguntó el pequeño sapo–. ¡Seguro que sí! Pero tiene el pico muy largo, no va a ser fácil. Será mejor que no le pregunte.»

Cerca del bosque vio un oso.

«¡Qué hermoso es! –pensó el sapo–. ¡Tan fuerte y con una piel tan bonita! Pero tampoco es el más adecuado para darme un beso. Es unos dos metros más grande que yo. Al besarme, podría aplastarme por descuido.»

Entonces, se encontró un mosquito.

—¡Espera! –gritó–. Me gustaría darte un besito.

—¿Acaso crees que soy tonto? –gritó el mosquito–. Tú lo que quieres es comerme, di la verdad. ¡Pero no me dejaré! ¡Búscate a otro más tonto que yo!

Y se alejó volando muy deprisa.

Luego, el sapo se encontró una ratita.

—¿Querrías tú darme un beso? –preguntó el sapo.

La ratita lo miró de arriba abajo y estuvo un rato pensando.

—No, gracias –dijo finalmente–. Eres demasiado verde para mí. Si fueras de color gris y tuvieras orejas, unos ojos más pequeños y bigotes y pelo, entonces quizá...

El pequeño sapo empezaba a sentirse algo triste, pero no se dio por vencido.

«Alguna vez encontraré a alguien que quiera darme un beso –pensó–, ¡y será maravilloso!»

Entonces vio una tortuga. ¿Quizá ella? «¡Ah, no, es algo vieja para mí, con sus ciento cinco años!»

Luego, se encontró un erizo entre las hojas del suelo.

«¡Qué gracioso es, con esa nariz alargada! –pensó el sapo–. ¡Pero esas púas! ¡Cuántas púas! ¡Pobrecillo! ¡A quién va a poder besar!»

En el campo de zanahorias se encontró un conejo.

—¿Me das un beso? –le preguntó.

—Yo sólo doy besos a las zanahorias –dijo el conejo–. ¡Mira, así...!

¡CRAC! Y dio un fuerte mordisco a una zanahoria.

«¡Está loco! –pensó el pequeño sapo–. ¡Ni siquiera sabe lo que es dar un beso!»

Delante de una ratonera, vio una gata.

«¡Qué guapa! –pensó–. ¡Esta vez lo conseguiré!»

—Me gustaría darte un beso –le dijo.

—¿Un beso? –preguntó la gata–. Eso te costará veinte ratones, pequeño. ¿Los tienes?

—No –dijo el sapo.

—¡Entonces, adiós, querido!

El sapo regresó a su charca. Se sentó sobre una piedra y se quedó mirando el agua.

«Nadie quiere darme un beso», pensó muy triste. Entonces vio su reflejo en la superficie del agua. Y, de pronto, se le ocurrió una idea:

—¡Me daré yo mismo un beso!

Justo en el mismo momento en que el sapo se inclinó hacia su reflejo y tocó la superficie del agua con los labios, apareció un pez nadando a toda prisa y... ¡SMUAC! ¡Ocurrió!

El pez creía que había una pulga de agua. Y quería comérsela.

El sapo pensó que el pez le había dado un beso. ¡Ay, qué contento se puso! Daba saltos por la orilla de la charca y no paraba de gritar:

—¡Me han dado un beso! ¡Me han dado un beso!

¡Pobre pequeño sapo!

Esa noche, el sapo durmió muy bien en su viejo neumático, pues se sentía muy feliz. Aproximadamente a media noche se acercó una pequeña rana a su cama.

La rana amaba al sapo desde hacía mucho tiempo, pero era demasiado tímida para decírselo. Sin embargo, ese día el sapo estaba tan guapo que la pequeña rana se inclinó sobre él y le dio un beso...

¿Qué tal le va
al cerdo?

El Lunes el cerdito tenía pereza.

Simplemente, no quería levantarse. Se quedó en la cama hasta el mediodía y tuvo dos largos y bonitos sueños.

A las doce se despertó y se tomó dos cuencos llenos de cereales.

earthenware bowl

Luego, cogió una manta y salió al jardín.

En el jardín tenía una hamaca. Estuvo durmiendo en ella toda la tarde.

Por la noche, el cerdito entró otra vez en casa y siguió durmiendo en su cama.

¡Qué cerdo más vago!

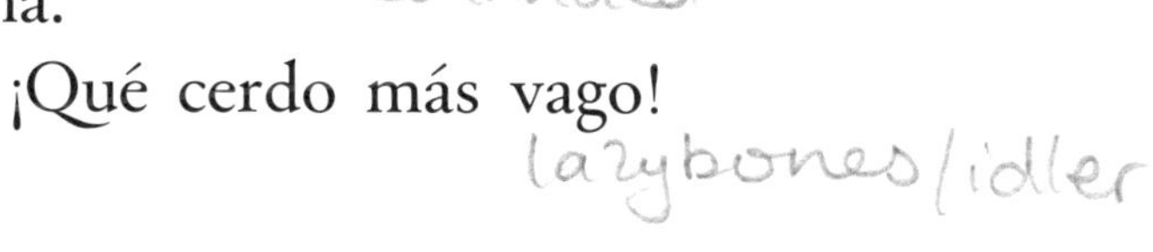

El Martes
el cerdito tenía hambre.

No le quedaba absolutamente nada para comer. Los cereales se le habían acabado, la nevera estaba vacía. No tenía si siquiera una patata, ni queso, ni leche, ni pan, ni mantequilla. ¡Se lo había comido todo!

Y tampoco tenía dinero para ir a comprar.

Entonces, el cerdito se fue al bosque a buscar setas. ¡Pero todas las setas se habían escondido!

A pesar de todo, no pasó hambre. Pues le invitaron al banquete de boda de unos ratones.

¡Qué suerte!

El Miércoles el cerdito tenía miedo.

Pasó lo siguiente: Isidoro, el gato, lo invitó a pescar. Fueron hasta el arroyo más cercano y se sentaron en el puente de madera.

¡De pronto, llegó una tormenta cargada de rayos, truenos y lluvia!

El cerdito y el gato se fueron a casa corriendo lo más deprisa que pudieron.

Atemorizados, miraron por la ventana hasta que la tormenta se alejó.

El Jueves
el cerdito estaba cariñoso.

Hacía un día soleado y precioso. El cerdito daba saltos de alegría por el prado. Estaba tan contento que quería hacer feliz a alguien.

¡La alegría compartida es una doble alegría!

Preparó un enorme ramo de flores y fue a ver al perro Snuf a su caseta.

—¡Hola, Snuf! ¿Estás en casa? ¡Toma, unas flores para ti!

—Gracias, pero me gustan más los huesos.

El Viernes

el cerdito se sentía aventurero.

Quería vivir una aventura peligrosa, muy peligrosa, de las que te hacen cosquillas en el estómago y te ponen carne de gallina por la espalda y por todo el cuerpo. ¡Escalar una montaña estaría bien! ¡O lanzarse en paracaídas!

Por desgracia, no había montañas cerca, y el cerdito tampoco tenía un paracaídas.

Entonces, se subió al tejado de su casa...

... y ¡se tiró sobre el montón de estiércol!

El Sábado
el cerdito quería ayudar.

Al principio, no sabía qué hacer en un día tan aburrido. Así que salió a pasear por el campo. Entonces vio un hámster y dos ratones, que llevaban unos sacos de grano muy pesados.

A su carro, del que tiraba un escarabajo, se le había roto una rueda.

El cerdito ayudó al hámster y a los ratones a llevar los sacos.

Luego, vio el almacén del hámster. Por desgracia, no cabía por el agujero de la entrada.

El perro Snuf fue a buscarlo para ir a navegar. ¡Tenía un barco de vela nuevo!

Estuvieron todo el día navegando por el lago. Hacía un sol espléndido.

¡Con tanto sol, el cerdito se quemó la piel!

Por la tarde, estaba tan cansado que Snuf tuvo que llevarlo a casa en su carrito.

¡Ah, qué bien se duerme después de un día tan ajetreado!

¡Buenas noches, pequeño cerdito!

ÍNDICE

EL BARCO DE VAPOR

SERIE AZUL (a partir de 7 años)

1 / *Consuelo Armijo,* **El Pampinoplas**
2 / *Carmen Vázquez-Vigo,* **Caramelos de menta**
4 / *Consuelo Armijo,* **Aniceto, el vencecanguelos**
5 / *María Puncel,* **Abuelita Opalina**
6 / *Pilar Mateos,* **Historias de Ninguno**
7 / *René Escudié,* **Gran-Lobo-Salvaje**
10 / *Pilar Mateos,* **Jeruso quiere ser gente**
11 / *María Puncel,* **Un duende a rayas**
12 / *Patricia Barbadillo,* **Rabicún**
13 / *Fernando Lalana,* **El secreto de la arboleda**
14 / *Joan Aiken,* **El gato Mog**
15 / *Mira Lobe,* **Ingo y Drago**
16 / *Mira Lobe,* **El rey Túnix**
17 / *Pilar Mateos,* **Molinete**
18 / *Janosch,* **Juan Chorlito y el indio invisible**
19 / *Christine Nöstlinger,* **Querida Susi, querido Paul**
20 / *Carmen Vázquez-Vigo,* **Por arte de magia**
23 / *Christine Nöstlinger,* **Querida abuela... Tu Susi**
24 / *Irina Korschunow,* **El dragón de Jano**
28 / *Mercè Company,* **La reina calva**
29 / *Russell E. Erickson,* **El detective Warton**
30 / *Derek Sampson,* **Más aventuras de Gruñón y el mamut peludo**
31 / *Elena O'Callaghan i Duch,* **Perrerías de un gato**
34 / *Jürgen Banscherus,* **El ratón viajero**
35 / *Paul Fournel,* **Supergato**
36 / *Jordi Sierra i Fabra,* **La fábrica de nubes**
37 / *Ursel Scheffler,* **Tintof, el monstruo de la tinta**
39 / *Manuel L. Alonso,* **La tienda mágica**
40 / *Paloma Bordons,* **Mico**
41 / *Hazel Townson,* **La fiesta de Víctor**
42 / *Christine Nöstlinger,* **Catarro a la pimienta (y otras historias de Franz)**
44 / *Christine Nöstlinger,* **Mini va al colegio**
45 / *Russell Hoban,* **Jim Glotón**
46 / *Anke de Vries,* **Un ladrón debajo de la cama**
47 / *Christine Nöstlinger,* **Mini y el gato**
48 / *Ulf Stark,* **Cuando se estropeó la lavadora**
49 / *David A. Adler,* **El misterio de la casa encantada**
50 / *Andrew Matthews,* **Ringo y el vikingo**
51 / *Christine Nöstlinger,* **Mini va a la playa**
52 / *Mira Lobe,* **Más aventuras del fantasma de palacio**
53 / *Alfredo Gómez Cerdá,* **Amalia, Amelia y Emilia**
54 / *Erwin Moser,* **Los ratones del desierto**
55 / *Christine Nöstlinger,* **Mini en carnaval**
56 / *Miguel Ángel Mendo,* **Blink lo lía todo**
57 / *Carmen Vázquez-Vigo,* **Gafitas**
58 / *Santiago García-Clairac,* **Maxi el aventurero**
59 / *Dick King-Smith,* **¡Jorge habla!**
60 / *José Luis Olaizola,* **La flaca y el gordo**
61 / *Christine Nöstlinger,* **¡Mini es la mejor!**
62 / *Burny Bos,* **¡Sonría, por favor!**
63 / *Rindert Kromhout,* **El oso pirata**
64 / *Christine Nöstlinger,* **Mini, ama de casa**
65 / *Christine Nöstlinger,* **Mini va a esquiar**
66 / *Christine Nöstlinger,* **Mini y su nuevo abuelo**
67 / *Ulf Stark,* **¿Sabes silbar, Johanna?**
68 / *Enrique Páez,* **Renata y el mago Pintón**
69 / *Jürgen Banscherus,* **Kiatoski y el robo de los chicles**
70 / *Jurij Brezan,* **El gato Mikos**
71 / *Michael Ende,* **La sopera y el cazo**
72 / *Jürgen Banscherus,* **Kiatoski y la desaparición de los patines**
73 / *Christine Nöstlinger,* **Mini, detective**
74 / *Emili Teixidor,* **La amiga más amiga de la hormiga Miga**
75 / *Joel Franz Rosell,* **Vuela, Ertico, vuela**
76 / *Jürgen Banscherus,* **Kiatoski y el caso del tic vivo azul**
77 / *Bernardo Atxaga,* **Shola y los leones**
78 / *Roald Dahl,* **El vicario que hablaba al revé**
79 / *Santiago García-Clairac,* **Maxi y la banda d los Tiburones**
80 / *Christine Nöstlinger,* **Mini no es una miedi**
81 / *Ulf Nilsson,* **¡Cuidado con los elefantes!**
82 / *Jürgen Banscherus,* **Kiatoski: Goles, trucos matones**
83 / *Ulf Nilsson,* **El aprendiz de mago**
84 / *Anne Fine,* **Diario de un gato asesino**
85 / *Jürgen Banscherus,* **Kiatoski y el circo mald**
86 / *Emili Teixidor,* **La hormiga Miga se desmi**

87 / *Rafik Schami,* ¡No es un papagayo!
88 / *Tino,* El cerdito Menta
89 / *Erich Kästner,* El teléfono encantado
90 / *Ulf Stark,* El club de los corazones solitarios
91 / *Consuelo Armijo,* Los batautos
92 / *Dav Pilkey,* Las aventuras del Capitán Calzoncillos
93 / *Anna-Karin Eurelius,* Los parientes de Julián
94 / *Agustín Fernández Paz,* Las hadas verdes
95 / *Carmen Vázquez Vigo,* Mister Pum
96 / *Gonzalo Moure,* El oso que leía niños
97 / *Mariasun Landa,* La pulga Rusika
98 / *Dav Pilkey,* El Capitan Calzoncillos y el ataque de los retretes parlantes
99 / *Consuelo Armijo,* Más batautos
100 / *Varios,* Cuentos azules
101 / *Joan Manuel Gisbert,* Regalos para el rey del bosque
102 / *Alfredo Gómez-Cerdá,* Cerote, el rey del gallinero
103 / *Mariasun Landa,* Julieta, Romeo y los ratones
104 / *Emili Teixidor,* Cuentos de intriga de la hormiga Miga
105 / *Gloria Sánchez,* Chinto y Tom
106 / *Bernardo Atxaga,* Shola y los jabalíes
107 / *Dav Pilkey,* Las aventuras del Capitán Calzoncillos y la invasión de los pérfidos tiparracos del espacio
108 / *Ian Whybrow,* Lobito aprende a ser malo
109 / *Dav Pilkey,* Las aventuras del Capitán Calzoncillos y el perverso plan del profesor Pipicaca
110 / *Erwin Moser,* El ratón, el sapo y el cerdo
111 / *Gabriela Rubio,* La bruja Tiburcia
112 / *Santiago García Clairac,* Maxi presidente

EL BARCO DE VAPOR

SERIE NARANJA (a partir de 9 años)

1 / *Otfried Preussler,* **Las aventuras de Vania el forzudo**
2 / *Hilary Ruben,* **Nube de noviembre**
3 / *Juan Muñoz Martín,* **Fray Perico y su borrico**
4 / *María Gripe,* **Los hijos del vidriero**
6 / *François Sautereau,* **Un agujero en la alambrada**
7 / *Pilar Molina Llorente,* **El mensaje de maese Zamaor**
8 / *Marcelle Lerme-Walter,* **Los alegres viajeros**
10 / *Hubert Monteilhet,* **De profesión, fantasma**
13 / *Juan Muñoz Martín,* **El pirata Garrapata**
15 / *Eric Wilson,* **Asesinato en el «Canadian Express»**
16 / *Eric Wilson,* **Terror en Winnipeg**
17 / *Eric Wilson,* **Pesadilla en Vancúver**
18 / *Pilar Mateos,* **Capitanes de plástico**
19 / *José Luis Olaizola,* **Cucho**
20 / *Alfredo Gómez Cerdá,* **Las palabras mágicas**
21 / *Pilar Mateos,* **Lucas y Lucas**
26 / *Rocío de Terán,* **Los mifenses**
27 / *Fernando Almena,* **Un solo de clarinete**
28 / *Mira Lobe,* **La nariz de Moritz**
30 / *Carlo Collodi,* **Pipeto, el monito rosado**
34 / *Robert C. O'Brien,* **La señora Frisby y las ratas de Nimh**
37 / *María Gripe,* **Josefina**
38 / *María Gripe,* **Hugo**
39 / *Cristina Alemparte,* **Lumbánico, el planeta cúbico**
44 / *Lucía Baquedano,* **Fantasmas de día**
45 / *Paloma Bordons,* **Chis y Garabís**
46 / *Alfredo Gómez Cerdá,* **Nano y Esmeralda**
49 / *José A. del Cañizo,* **Con la cabeza a pájaros**
50 / *Christine Nöstlinger,* **Diario secreto de Susi. Diario secreto de Paul**
52 / *José Antonio Panero,* **Danko, el caballo que conocía las estrellas**
53 / *Otfried Preussler,* **Los locos de Villasimplona**
54 / *Terry Wardle,* **La suma más difícil del mundo**
55 / *Rocío de Terán,* **Nuevas aventuras de un mifense**
61 / *Juan Muñoz Martín,* **Fray Perico en la guerra**
64 / *Elena O'Callaghan i Duch,* **Pequeño Roble**
65 / *Christine Nöstlinger,* **La auténtica Susi**
67 / *Alfredo Gómez Cerdá,* **Apareció en mi ventana**
68 / *Carmen Vázquez-Vigo,* **Un monstruo en el armario**
69 / *Joan Armengué,* **El agujero de las cosas perdidas**
70 / *Jo Pestum,* **El pirata en el tejado**
71 / *Carlos Villanes Cairo,* **Las ballenas cautivas**
72 / *Carlos Puerto,* **Un pingüino en el desierto**
73 / *Jerome Fletcher,* **La voz perdida de Alfreda**
76 / *Paloma Bordons,* **Érame una vez**
77 / *Llorenç Puig,* **El moscardón inglés**
79 / *Carlos Puerto,* **El amigo invisible**
80 / *Antoni Dalmases,* **El vizconde menguante**
81 / *Achim Bröger,* **Una tarde en la isla**
83 / *Fernando Lalana y José María Almárcegui,* **Silvia y la máquina Qué**
84 / *Fernando Lalana y José María Almárcegui,* **Aurelio tiene un problema gordísimo**
85 / *Juan Muñoz Martín,* **Fray Perico, Calcetín y el guerrillero Martín**
87 / *Dick King-Smith,* **El caballero Tembleque**
88 / *Hazel Townson,* **Cartas peligrosas**
89 / *Ulf Stark,* **Una bruja en casa**
90 / *Carlos Puerto,* **La orquesta subterránea**
91 / *Monika Seck-Agthe,* **Félix, el niño feliz**
92 / *Enrique Páez,* **Un secuestro de película**
93 / *Fernando Pulin,* **El país de Kalimbún**
94 / *Braulio Llamero,* **El hijo del frío**
95 / *Joke van Leeuwen,* **El increíble viaje de Des**
96 / *Torcuato Luca de Tena,* **El fabricante de sueños**
97 / *Guido Quarzo,* **Quien encuentra un pirata, encuentra un tesoro**
98 / *Carlos Villanes Cairo,* **La batalla de los árboles**
99 / *Roberto Santiago,* **El ladrón de mentiras**
100 / *Varios,* **Un barco cargado de... cuentos**
101 / *Mira Lobe,* **El zoo se va de viaje**
102 / *M. G. Schmidt,* **Un vikingo en el jardín**

103 / *Fina Casalderrey,* El misterio de los hijos de Lúa
104 / *Uri Orlev,* El monstruo de la oscuridad
105 / *Santiago García-Clairac,* El niño que quería ser Tintín
106 / *Joke Van Leeuwen,* Bobel quiere ser rica
107 / *Joan Manuel Gisbert,* Escenarios fantásticos
108 / *M. B. Brozon,* ¡Casi medio año!
109 / *Andreu Martín,* El libro de luz
110 / *Juan Muñoz Martín,* Fray Perico y Monpetit
111 / *Christian Bieniek,* Un polizón en la maleta
112 / *Galila Ron-Feder,* Querido yo
113 / *Anne Fine,* Cómo escribir realmente mal
114 / *Hera Lind,* Papá por un día
115 / *Hilary Mckay,* El perro Viernes
116 / *Paloma Bordons,* Leporino Clandestino
117 / *Juan Muñoz Martín,* Fray Perico en la paz
118 / *David Almond,* En el lugar de las alas
119 / *Santiago García-Clairac,* El libro invisible
120 / *Roberto Santiago,* El empollón, el cabeza cuadrada, el gafotas y el pelmazo
121 / *Joke van Leeuwen,* Una casa con siete habitaciones
122 / *Renato Giovannoli,* Misterio en Villa Jamaica
23 / *Miguel Ángel Moleón,* El rey Arturo cabalga de nuevo, más o menos
24 / *José Luis Alonso de Santos,* ¡Una de piratas!
25 / *Thomas Winding,* Mi perro Míster
26 / *Michael Ende,* El secreto de Lena
27 / *Juan Muñoz Martín,* El pirata Garrapata en la India
128 / *Paul Zindel,* El club de los coleccionistas de noticias
129 / *Gilberto Rendón Ortiz,* Los cuatro amigos de siempre
130 / *Christian Bieniek,* ¡Socorro, tengo un caballo!
131 / *Fina Casalderrey,* El misterio del cementerio viejo
132 / *Christine Nöstlinger,* Simsalabim
133 / *Santiago García-Clairac,* El rey del escondite
134 / *Carlo Frabetti,* El vampiro vegetariano
135 / *Angela Nanetti,* Mi abuelo era un cerezo
136 / *Gudrun Pausewang,* Descalzo por la ciudad
137 / *Patrick Modiano,* Los mundos de Catalina
138 / *Joan Manuel Gisbert,* El mensaje de los pájaros
139 / *Anne Fine,* Caca de vaca
140 / *Avi,* La rata de Navidad
141 / *Ignacio Padilla,* Los papeles del dragón típico
142 / *Ulf Stark,* La visita del jeque
143 / *Alfredo Gómez Cerdá,* La noche de la ciudad mágica
144 / *Agustín Fernández Paz,* Avenida del Parque 17
145 / *Ghazi Abdel-Qadir,* El regalo de la abuela Sara
146 / *Marie Desplechin,* ¡Por fin bruja!
147 / *Emili Teixidor,* La vuelta al mundo de la hormiga Miga
148 / *Paloma Bordons,* Cleta